Puede consultar nuestro catálogo en www.edicionesobelisco.com / www.picarona.net

EL CIELO ES DE TODOS
Texto: *Gianni Rodari*
Ilustraciones: *Nicoletta Costa*

1.ª edición: noviembre de 2015

Título original: *Il cielo è di tutti*

Traducción: *Lorenzo Fasanini*
Maquetación: *Montse Martín*
Corrección: *M.ª Ángeles Olivera*

© 1980, Maria Ferretti Rodari y Paola Rodari para el texto
© 2012, Edizioni EL, San Dorligo della Valle (Trieste) - www.edizioniel.com
Título negociado a través de Ute Körner Lit. Ag. - www.uklitag.com
© 2015, Ediciones Obelisco, S. L.
(Reservados los derechos para la lengua española)

Edita: Picarona, sello infantil de Ediciones Obelisco, S. L.
Pere IV, 78 (Edif. Pedro IV) 3.ª planta, 5.ª puerta
08005 Barcelona - España
Tel. 93 309 85 25 - Fax 93 309 85 23
www.picarona.net
www.edicionesobelisco.com

ISBN: 978-84-16117-56-7
Depósito Legal: B-14.700-2015

Printed in India

Texto:
GIANNI RODARI

Ilustraciones:
NICOLETTA COSTA

EL CIELO ES DE TODOS

Picarona

QUE ALGUIEN MUY ENTENDIDO
ME EXPLIQUE ESTE MISTERIO:
EL CIELO ES DE TODOS LOS OJOS
DE CADA OJO ES EL CIELO ENTERO.

ES MÍO CUANDO LO OBSERVO.

no se paga entrada

ES DEL ANCIANO, DEL NIÑO,

DEL REY,

DEL CAMPESINO,

DEL POETA,

pálida luna

DEL QUE BARRE LA BASURA.

No hay pobre tan pobre
que no sea su dueño.

El conejo asustado

demasiado viento

POSEE LO MISMO QUE EL LEÓN.

EL CIELO ES DE TODOS LOS OJOS,
   Y CADA OJO ALCANZA, SI LO DESEA,
LA LUNA ENTERA, LAS ESTRELLAS FUGACES,
   EL SOL Y LO QUE SEA.

CADA OJO ALCANZA CUALQUIER COSA,
NADA ESTÁ NUNCA AUSENTE:
Y EL ÚLTIMO EN MIRAR EL CIELO
NO LO ENCUENTRA MENOS RESPLANDECIENTE.

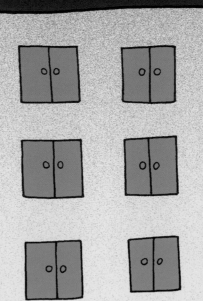

EXPLICADME, ENTONCES,

EN PROSA O EN VERSITOS,

POR QUÉ EL CIELO SÓLO ES UNO,

Y EN LA TIERRA TODO ESTÁ EN PEDACITOS.